Catherine Méry

Craquez pour le croque-monsieur !

30 recettes salées et sucrées pour fondre de plaisir

MANGO

Som

RECETTES POUR 4 CROQUE-MONSIEUR

SALÉS

maire

SUCRÉS

Croque courgettes à la Vache qui rit®

Préparation
15 minutes

Cuisson
4 minutes

Ingrédients

8 tranches de pain de mie
2 courgettes
8 Vache qui rit®
1 cuillerée à soupe de menthe ciselée
50 g de beurre à température ambiante
1 cuillerée à soupe d'huile d'olive
sel, poivre

- Beurrez légèrement les faces externes du pain.
- Lavez et râpez les courgettes. Faites-les revenir 10 minutes dans l'huile d'olive. Salez et poivrez.
- Incorporez la menthe et mélangez.
- Garnissez l'intérieur du croque-monsieur de courgettes à la menthe. Ajoutez 2 Vache qui rit®.
- Refermez le croque-monsieur et faites-le cuire selon votre appareil, classique ou électrique, pendant environ 2 minutes de chaque côté.

Servez avec un taboulé vert, au persil et à la menthe.

En laissant la peau des courgettes, votre croque-monsieur sera plus coloré et plus vitaminé.

Croque caviar d'aubergine et chèvre

Préparation
35 minutes

Cuisson
4 minutes

Ingrédients

8 tranches de pain aux olives
3 aubergines
8 tranches de bûche de chèvre
1 cuillerée à soupe d'huile d'olive
1 gousse d'ail
50 g de beurre à température ambiante
sel, poivre

- Beurrez légèrement les faces externes du pain.
- Faites cuire les aubergines entières 30 minutes à four chaud.
- Prélevez la pulpe des aubergines, égouttez et mélangez avec l'huile d'olive et l'ail haché. Salez et poivrez.
- Garnissez l'intérieur du croque-monsieur de caviar d'aubergine. Recouvrez de 2 tranches de chèvre.
- Refermez le croque-monsieur et faites-le cuire selon votre appareil, classique ou électrique, pendant environ 2 minutes de chaque côté.

Servez avec une salade de tomates.

Si vous êtes pressé, vous pouvez acheter du caviar d'aubergine en bocal au rayon épicerie fine du supermarché.

Croque œufs brouillés, champignons et emmental

Préparation
20 minutes

Cuisson
4 minutes

Ingrédients

8 tranches de pain brun aux céréales
4 œufs
250 g de champignons des bois
(ou mélange forestier) surgelés
100 g d'emmental en fines tranches
50 g de beurre à température
ambiante + 30 g
sel, poivre

- Beurrez légèrement les faces externes du pain.
- Faites étuver les champignons dans le beurre. Ajoutez les œufs battus en omelette et poursuivez la cuisson en remuant jusqu'à ce que le mélange soit bien onctueux. Salez et poivrez.
- Garnissez l'intérieur du croque-monsieur de brouillade aux œufs. Recouvrez de fines tranches d'emmental.
- Refermez le croque-monsieur et faites-le cuire selon votre appareil, classique ou électrique, pendant environ 2 minutes de chaque côté.

Servez avec une scarole assaisonnée au vinaigre de vin et à l'huile de colza.

Ce croque-monsieur est également délicieux avec des champignons de Paris.

Croque feta et poivrons à l'ail

Préparation
30 minutes

Cuisson
4 minutes

Ingrédients

8 tranches de pain de mie
2 poivrons verts
2 poivrons jaunes
120 g de feta
2 gousses d'ail
50 g de beurre à température ambiante
poivre

- Beurrez légèrement les faces externes du pain.
- Faites griller les poivrons au four pendant 25 minutes environ en les tournant de temps en temps.
- Pelez-les et coupez-les en lanières. Épluchez et hachez l'ail.
- Garnissez de poivrons l'intérieur du croque-monsieur. Recouvrez d'ail haché et de feta émiettée. Poivrez.
- Refermez le croque-monsieur et faites-le cuire selon votre appareil, classique ou électrique, pendant environ 2 minutes de chaque côté.

Servez avec une salade de mesclun à l'huile d'olive et au vinaigre de xérès.

Les poivrons grillés existent aussi en surgelés.

Croque tomates, mozzarella et anchois

Préparation
5 minutes

Cuisson
4 minutes

Ingrédients

8 tranches de pain de mie
4 tomates
2 boules de mozzarella
12 anchois
8 feuilles de basilic
50 g de beurre à température ambiante
sel, poivre

- Beurrez légèrement les faces externes du pain.
- Coupez les tomates et la mozzarella en tranches.
- Garnissez l'intérieur du croque-monsieur de tomates et de mozzarella. Salez légèrement et poivrez. Ajoutez 2 feuilles de basilic et 3 anchois.
- Refermez le croque-monsieur et faites-le cuire selon votre appareil, classique ou électrique, pendant environ 2 minutes de chaque côté.

Servez avec une salade de pousses d'épinards assaisonnée d'huile d'olive et de citron.

Pour rehausser le côté méditerranéen de ce croque-monsieur ajoutez une petite pointe d'ail haché.

Croque andouille de Guéménée et fondue de poireaux

PRÉPARATION
15 minutes

CUISSON
4 minutes

INGRÉDIENTS

8 tranches de pain complet
16 tranches d'andouille de Guéménée
3 blancs de poireaux
50 g de beurre à température ambiante + 30 g
sel, poivre

- Beurrez légèrement les faces externes du pain.
- Nettoyez et émincez les poireaux en fine brunoise. Faites-les fondre dans le beurre. Salez et poivrez.
- Garnissez l'intérieur du croque-monsieur de fondue de poireaux. Recouvrez de 4 tranches d'andouille.
- Refermez le croque-monsieur et faites-le cuire selon votre appareil, classique ou électrique, pendant environ 2 minutes de chaque côté.

Servez avec une salade de betteraves.

Andouille de Guéménée ou de Vire, l'une ou l'autre convient ; c'est juste une querelle entre Bretons et Normands !

Croque foie gras et artichaut

PRÉPARATION
5 minutes

CUISSON
4 minutes

INGRÉDIENTS

8 tranches de pain brioché
4 petites tranches de foie gras mi-cuit
4 fonds d'artichauts cuits
4 cuillerées à café de gelée au piment d'Espelette
50 g de beurre à température ambiante

- Beurrez légèrement les faces externes du pain.
- Garnissez l'intérieur du croque-monsieur d'artichaut coupé en lamelles et d'1 tranche de foie gras. Recouvrez d'1 cuillerée à café de gelée.
- Refermez le croque-monsieur et faites-le cuire selon votre appareil, classique ou électrique, pendant environ 2 minutes de chaque côté.

Servez avec une salade de feuilles de chêne éventuellement décorée de quelques fleurs comestibles : pensées, capucines...

On trouve maintenant des salades toutes prêtes avec des fleurs dans les grandes surfaces.

Croque jambon de Parme, champignons et mascarpone

Préparation
15 minutes

Cuisson
4 minutes

Ingrédients

8 tranches de pain brioché
4 tranches de jambon de Parme
250 g de champignons de Paris
4 cuillerées à soupe de mascarpone
50 g de beurre à température ambiante + 30 g
sel, poivre

- Beurrez légèrement les faces externes du pain.
- Nettoyez et émincez les champignons. Faites-les étuver dans le beurre jusqu'à évaporation complète de l'eau. Salez et poivrez.
- Garnissez l'intérieur du croque-monsieur de lamelles de champignons et d'1 tranche de jambon. Recouvrez d'1 cuillerée à soupe de mascarpone.
- Refermez le croque-monsieur et faites-le cuire selon votre appareil, classique ou électrique, pendant environ 2 minutes de chaque côté.

Servez avec une salade de fèves au vinaigre balsamique et à l'huile d'olive.

Pour être plus italien ajoutez 2 feuilles de sauge à votre croque-monsieur.

Croque morilles et échalotes à la crème

Préparation
20 minutes

Cuisson
4 minutes

Ingrédients

8 tranches de pain de mie
50 g de morilles séchées
12 échalotes
4 cuillerées à soupe de crème épaisse
50 g de beurre à température ambiante + 50 g
sel, poivre

- Beurrez légèrement les faces externes du pain.
- Réhydratez les morilles dans un bol d'eau tiède. Faites-les étuver dans 25 grammes de beurre jusqu'à ce qu'elles ne rendent plus d'eau.
- Faites fondre les échalotes hachées dans le reste de beurre. Ajoutez-les aux morilles.
- Garnissez l'intérieur du croque-monsieur avec cette préparation. Recouvrez d'1 cuillerée à soupe de crème. Salez et poivrez.
- Refermez le croque-monsieur et faites-le cuire selon votre appareil, classique ou électrique, pendant environ 2 minutes de chaque côté.

Servez avec une salade de cresson.

Veillez à bien faire revenir les morilles car elles sont toxiques mal cuites.

Croque pastrami, fondue d'oignons et cumin

PRÉPARATION
20 minutes

CUISSON
4 minutes

INGRÉDIENTS

8 tranches de pain complet
16 tranches de pastrami
3 beaux oignons
2 cuillerées à café de graines de cumin
50 g de beurre à température ambiante + 30 g

- Beurrez légèrement les faces externes du pain.
- Pelez et émincez les oignons. Faites-les fondre dans le beurre.
- Quand ils sont bien translucides, ajoutez le pastrami coupé en petits morceaux. Saupoudrez de cumin et mélangez bien.
- Garnissez l'intérieur du croque-monsieur de fondue d'oignons.
- Refermez le croque-monsieur et faites-le cuire selon votre appareil, classique ou électrique, pendant environ 2 minutes de chaque côté.

Servez avec une salade de choux rouge et blanc assaisonnée de crème citronnée.

Le pastrami s'achète au rayon casher du supermarché.

Croque poulet au curry et avocat

Préparation
15 minutes

Cuisson
4 minutes

Ingrédients

8 tranches de pain aux céréales
2 blancs de poulet
2 avocats
25 cl de crème fraîche
1 cuillerée à soupe de curry en poudre
50 g de beurre à température ambiante + 30 g

- Beurrez légèrement les faces externes du pain.
- Poêlez les blancs de poulet dans le beurre pendant 10 minutes. Émincez-les en fines tranches.
- Mélangez la crème avec le curry.
- Épluchez et coupez les avocats en lamelles.
- Garnissez l'intérieur du croque-monsieur d'avocat et d'émincé de poulet. Recouvrez d'1 cuillerée à soupe de crème au curry.
- Refermez le croque-monsieur et faites-le cuire selon votre appareil, classique ou électrique, pendant environ 2 minutes de chaque côté.

Servez avec une salade de papaye verte assaisonnée de sauce soja et agrémentée de feuilles de coriandre.

Ce croque-monsieur est idéal pour utiliser un reste de poulet cuit.

Croque raclette, épinards et viande des Grisons

Préparation
25 minutes

Cuisson
4 minutes

Ingrédients

8 tranches de pain aux céréales
200 g d'épinards surgelés
4 tranches de raclette
4 tranches de viande des Grisons
8 cuillerées à soupe de béchamel (on trouve de la sauce toute faite dans le commerce)
50 g de beurre à température ambiante + 30 g
sel, poivre

- Beurrez légèrement les faces externes du pain.
- Faites cuire doucement les épinards dans le beurre.
- Mélangez-les avec la béchamel. Salez et poivrez.
- Garnissez le croque-monsieur d'épinards. Recouvrez d'1 tranche de viande des Grisons et d'1 tranche de raclette.
- Refermez le croque-monsieur et faites-le cuire selon votre appareil, classique ou électrique, pendant environ 2 minutes de chaque côté.

Servez avec une salade de mâche.

Vous pouvez remplacer la viande des Grisons par de la coppa.

Croque saumon frais, raifort et Savora®

Préparation
5 minutes

Cuisson
4 minutes

Ingrédients

8 tranches de pain de mie
2 pavés de saumon frais coupés en lamelles d'1 cm
4 cuillerées à café de crème de raifort Savora®
2 brins d'aneth
50 g de beurre à température ambiante
sel, poivre

- Beurrez légèrement les faces externes du pain.
- Tartinez de Savora® l'intérieur du croque-monsieur. Garnissez-le de 4 lamelles de saumon et d'1 cuillerée à café de crème de raifort. Ajoutez un peu d'aneth. Salez et poivrez.
- Refermez le croque-monsieur et faites-le cuire selon votre appareil, classique ou électrique, pendant environ 2 minutes de chaque côté.

Servez avec une salade de radis roses.

N'oubliez pas que l'on trouve toutes les herbes au rayon des surgelés.

Croque saumon fumé et Boursin®

Préparation
5 minutes

Cuisson
4 minutes

Ingrédients

8 tranches de pain aux céréales
1 pavé de 200 g de saumon fumé
1 Boursin® aux fines herbes
50 g de beurre à température ambiante
poivre

- Beurrez légèrement les faces externes du pain.
- Coupez le saumon en 4 tranches d'1 centimètre d'épaisseur.
- Tartinez généreusement de Boursin® l'intérieur du pain. Recouvrez de 4 tranches de saumon fumé. Poivrez.
- Refermez le croque-monsieur et faites-le cuire selon votre appareil, classique ou électrique, pendant environ 2 minutes de chaque côté.

Servez avec une salade de champignons de Paris à la crème.

Il est préférable d'utiliser du saumon fumé en pavé, car plus épais, il sera plus moelleux.

Croque boudin antillais et ananas

Préparation
15 minutes

Cuisson
4 minutes

Ingrédients

8 tranches de pain complet
12 petits boudins antillais
4 tranches d'ananas frais ou en boîte
50 g de beurre à température ambiante + 30 g
sel, poivre

- Beurrez légèrement les faces externes du pain.
- Poêlez les boudins dans le beurre. Enlevez la peau. Salez et poivrez.
- Garnissez l'intérieur du croque-monsieur de boudin. Recouvrez d'1 tranche d'ananas.
- Refermez le croque-monsieur et faites-le cuire selon votre appareil, classique ou électrique, pendant environ 2 minutes de chaque côté.

Servez avec une salade de petites courgettes crues.

N'hésitez pas à acheter des boudins antillais surgelés.

Croque figues et gorgonzola

Préparation
5 minutes

Cuisson
4 minutes

Ingrédients

8 tranches de pain de mie
8 figues fraîches ou surgelées
200 g de gorgonzola
50 g de beurre à température ambiante
poivre aux cinq baies

- Beurrez légèrement les faces externes du pain.
- Lavez et émincez les figues.
- Garnissez l'intérieur du croque-monsieur de lamelles de figues. Recouvrez d'1 tranche de gorgonzola. Assaisonnez de poivre aux cinq baies.
- Refermez le croque-monsieur et faites-le cuire selon votre appareil, classique ou électrique, pendant environ 2 minutes de chaque côté.

Servez avec une salade de roquette assaisonnée de vinaigre balsamique et d'huile d'olive.

Pour remplacer les figues tartinez l'intérieur du croque-monsieur d'une cuillerée à soupe de confiture de figues.

Croque fourme d'Ambert, poires et noix

Préparation
5 minutes

Cuisson
4 minutes

Ingrédients

8 tranches de pain de mie
200 g de fourme d'Ambert
2 belles poires
20 cerneaux de noix
50 g de beurre à température ambiante
sel, poivre

- Beurrez légèrement les faces externes du pain.
- Pelez et émincez les poires.
- Garnissez l'intérieur du croque-monsieur de lamelles de poire. Recouvrez de fourme d'Ambert. Posez 5 cerneaux de noix sur le fromage.
- Refermez le croque-monsieur et faites-le cuire selon votre appareil, classique ou électrique, pendant environ 2 minutes de chaque côté.

Servez avec une salade d'endives à l'huile de noix.

Tout autre fromage à pâte bleue conviendra également.

Croque camembert, pommes et calvados

Préparation
15 minutes

Cuisson
4 minutes

Ingrédients

8 tranches de pain de mie
1 camembert
2 pommes
1 cuillerée à soupe de sucre semoule
2 cuillerées à soupe de calvados
50 g de beurre à température ambiante + 20 g

- Beurrez légèrement les faces externes du pain.
- Pelez et coupez les pommes en lamelles. Faites-les dorer dans le beurre et saupoudrez-les de sucre.
- Flambez-les avec le calvados.
- Garnissez l'intérieur du croque-monsieur de pommes flambées. Recouvrez d'un quart de camembert sans la croûte.
- Refermez le croque-monsieur et faites-le cuire selon votre appareil, classique ou électrique, pendant environ 2 minutes de chaque côté.

Servez avec une salade frisée agrémentée de noix.

Pour cette recette normande vous pouvez aussi utiliser un pont-l'évêque ou un livarot.

Croque abricots, pâte d'amandes et pistaches

Préparation
5 minutes

Cuisson
4 minutes

Ingrédients

8 tranches de pain brioché
24 oreillons d'abricots frais ou surgelés
100 g de pâte d'amandes
4 cuillerées à soupe de pistaches hachées
50 g de beurre à température ambiante

- Beurrez légèrement les faces externes du pain.
- Tartinez de pâte d'amandes l'intérieur du croque-monsieur. Recouvrez de 6 oreillons d'abricots.
- Parsemez de pistaches.
- Refermez le croque-monsieur et faites-le cuire selon votre appareil, classique ou électrique, pendant environ 2 minutes de chaque côté.

À déguster accompagné d'une boule de glace à la pistache.

Utilisez de préférence de la pâte d'amandes verte, ce sera plus joli.

Croque bananes et citron vert

Préparation
6 minutes

Cuisson
4 minutes

Ingrédients

8 tranches de pain brioché
2 bananes
le zeste d'1 citron vert
3 cuillerées à soupe de rhum
2 cuillerées à soupe de sucre de canne
50 g de beurre à température ambiante + 20 g

- Beurrez légèrement les faces externes du pain.
- Poêlez les bananes coupées en rondelles dans le beurre et le sucre pendant 1 minute.
- Flambez-les avec le rhum.
- Garnissez de rondelles de bananes l'intérieur du croque-monsieur.
- Parsemez de petits zestes de citron.
- Refermez le croque-monsieur et faites-le cuire selon votre appareil, classique ou électrique, pendant environ 2 minutes de chaque côté.

À déguster accompagné d'une boule de sorbet au citron vert.

Le combawa, cousin asiatique du citron et beaucoup plus parfumé, peut remplacer le citron vert.

Croque chèvre, miel et pignons

Préparation
5 minutes

Cuisson
4 minutes

Ingrédients

8 tranches de pain brioché
8 cuillerées à soupe de chèvre frais
4 cuillerées à soupe de miel d'acacia
4 cuillerées à soupe de pignons grillés
4 cuillerées à café de fleurs de lavande
50 g de beurre à température ambiante

- Beurrez légèrement les faces externes du pain.
- Tartinez de chèvre frais l'intérieur du croque-monsieur.
- Parsemez de pignons et de fleurs de lavande. Arrosez de miel.
- Refermez le croque-monsieur et faites-le cuire selon votre appareil, classique ou électrique, pendant environ 2 minutes de chaque côté.

À déguster accompagné d'une crème anglaise à la lavande.

Si vous utilisez du chèvre en bûche, votre croque-monsieur sera plus corsé.

Croque chocolat et crème de marrons

Préparation
5 minutes

Cuisson
4 minutes

Ingrédients

8 tranches de pain brioché
24 carrés de chocolat
4 cuillerées à soupe de crème de marrons
50 g de beurre à température ambiante

- Beurrez légèrement les faces externes du pain.
- Tartinez de crème de marrons l'intérieur du croque-monsieur. Recouvrez de 6 carrés de chocolat.
- Refermez le croque-monsieur et faites-le cuire selon votre appareil, classique ou électrique, pendant environ 2 minutes de chaque côté.

À déguster accompagné de crème chantilly.

Si vous avez des marrons glacés, émiettez un marron dans chaque croque-monsieur.

Croque brebis basque et confiture de cerises noires

Préparation
5 minutes

Cuisson
4 minutes

Ingrédients

8 tranches de pain brioché
4 tranches de fromage type Etorki®
4 cuillerées à soupe de confiture de cerises noires
50 g de beurre à température ambiante

- Beurrez légèrement les faces externes du pain.
- Nappez l'intérieur du croque-monsieur de confiture de cerises noires.
- Recouvrez d'1 tranche de fromage.
- Refermez le croque-monsieur et faites-le cuire selon votre appareil, classique ou électrique, pendant environ 2 minutes de chaque côté.

Avec son côté sucré-salé, cette recette inspirée du Pays basque se suffit à elle-même.

Croque aux fraises et amandine

Préparation
10 minutes

Cuisson
4 minutes

Ingrédients

8 tranches de pain brioché
24 fraises
1 sachet de préparation crème amandine
4 cuillerées à soupe de corn-flakes
15 cl de lait
1 œuf
50 g de beurre à température ambiante

- Beurrez légèrement les faces externes du pain.
- Mélangez l'amandine avec le lait et l'œuf dans une petite casserole. Portez à feu doux pour que le mélange épaississe.
- Nappez l'intérieur du croque-monsieur de 2 cuillerées à soupe d'amandine. Recouvrez de 12 demi-fraises.
- Parsemez le tout de corn-flakes.
- Refermez le croque-monsieur et faites-le cuire selon votre appareil, classique ou électrique, pendant environ 2 minutes de chaque côté.

À déguster accompagné d'une boule de glace au yaourt.

On trouve la crème amandine au rayon pâtisserie du supermarché.

Croque lemon curd à la meringue

Préparation
5 minutes

Cuisson
4 minutes

Ingrédients

8 tranches de pain brioché
4 cuillerées à soupe de lemon curd
1 grosse meringue
50 g de beurre à température ambiante

- Beurrez légèrement les faces externes du pain.
- Tartincz de lemon curd l'intérieur du croque-monsieur.
- Ajoutez la meringue émiettée.
- Refermez le croque-monsieur et faites-le cuire selon votre appareil, classique ou électrique, pendant environ 2 minutes de chaque côté.

À déguster accompagné d'une crème anglaise.

Quelques zestes de citron pourront agrémenter la meringue.

Croque chocolat, mangue et praslin

Préparation
5 minutes

Cuisson
4 minutes

Ingrédients

8 tranches de pain brioché
24 carrés de chocolat noir
2 mangues
4 cuillerées à café de praslin
50 g de beurre à température ambiante

- Beurrez légèrement les faces externes du pain.
- Garnissez l'intérieur du croque-monsieur de mangue coupée en lamelles. Recouvrez de 6 carrés de chocolat.
- Saupoudrez de praslin.
- Refermez le croque-monsieur et faites-le cuire selon votre appareil, classique ou électrique, pendant environ 2 minutes de chaque côté.

À déguster accompagné de coulis de mangue.

Vous trouverez le praslin au rayon pâtisserie du supermarché. À défaut, concassez des noisettes légèrement grillées.

Croque raisin, miel et ricotta

Préparation
5 minutes

Cuisson
4 minutes

Ingrédients

8 tranches de pain brioché
1 grappe de muscat
8 cuillerées à soupe de ricotta
4 cuillerées à café de miel de lavande
50 g de beurre à température ambiante

- Beurrez légèrement les faces externes du pain.
- Égrenez le muscat.
- Tartinez généreusement de ricotta l'intérieur du croque-monsieur. Ajoutez les grains de raisin et 1 cuillerée à café de miel.
- Refermez le croque-monsieur et faites-le cuire selon votre appareil, classique ou électrique, pendant environ 2 minutes de chaque côté.

À déguster accompagné d'une crème anglaise parfumée à l'amaretto.

Vous pouvez remplacer le pain brioché par de la brioche, mais ne la beurrez pas.

Croque nectarines et confiture de lait

Préparation
5 minutes

Cuisson
4 minutes

Ingrédients

8 tranches de pain brioché
4 nectarines
4 cuillerées à soupe de confiture de lait
50 g de beurre à température ambiante

- Beurrez légèrement les faces externes du pain.
- Garnissez l'intérieur du croque-monsieur d'1 nectarine épluchée et coupée en fines lamelles.
- Nappez d'1 cuillerée à soupe de confiture de lait.
- Refermez le croque-monsieur et faites-le cuire selon votre appareil, classique ou électrique, pendant environ 2 minutes de chaque côté.

À déguster accompagné d'une boule de sorbet à la pêche.

> Vous pouvez remplacer les nectarines par des pêches.

Merci

Je remercie ma nièce Marie-Aude, qui, du grand restaurant où elle exerce ses talents, m'a confié quelques recettes de croque-monsieur, ainsi que Mélanie pour m'avoir assistée pendant les prises de vues.
Un grand merci aussi à Françoise, Laurence, Lorraine, sans oublier ma petite maman, qui ont retrouvé ces vieux moules pleins de charme et de souvenirs d'enfance.
Bravo à Pierre pour ses magnifiques photos.

Et bien sûr, merci aux boutiques suivantes pour leur charmante collaboration :

• *Gargantua* pour sa vaisselle acidulée : assiette de couverture.

• *Jeannine Cros* pour ses linges anciens : pages 5, 17, 19, 21, 35, 46, 59.

• *Linum* pour son linge de table : pages 45, 53.

• *Quartz* pour ses verreries contemporaines : pages 5, 11, 27, 29, 35, 51, 53, 57.

• *Zéro one one* : pages 27, 29, 41, 63.

Gargantua
Points de vente : www.gargantua.ch
Tél. : 01 42 78 96 47

Jeannine Cros dans de beaux draps
11, rue d'Assas 75006 Paris
Tél. : 01 45 48 00 67

Linum
Points de vente : www.linum-france.fr
Tél. : 04 90 76 34 00

Quartz
12, rue des Quatre-Vents 75006 Paris
Tél. : 01 43 54 03 00

Zéro one one
2, rue de Marengo 75001 Paris
Tél. : 01 49 27 00 11

Dans la même collection

Édition : Barbara Sabatier - Maquette : Natacha Marmouget - Relecture : Armelle et Bernard Heron
N° d'édition : M07057 - ISBN : 978 2 84270 644 9
Photogravure : Digi-France
Achevé d'imprimer en mars 2007 par Pollina - France - N° L42763
Dépôt légal : avril 2007 - Édition N°1

Croque chocolat, poire et cannelle

Préparation
5 minutes

Cuisson
4 minutes

Ingrédients

8 tranches de pain brioché
24 carrés de chocolat noir
2 poires (ou 4 demi-poires au sirop)
2 cuillerées à café de cannelle
50 g de beurre à température ambiante

- Beurrez légèrement les faces externes du pain.
- Garnissez l'intérieur du croque-monsieur d'une demi-poire épluchée et coupée en lamelles. Recouvrez de 6 carrés de chocolat.
- Saupoudrez de cannelle.
- Refermez le croque-monsieur et faites-le cuire selon votre appareil, classique ou électrique, pendant environ 2 minutes de chaque côté.

À déguster accompagné d'une boule de glace à la cannelle.

Si vous n'avez pas de cannelle utilisez le zeste d'une orange non traitée.

Croque pommes, poires et raisins secs

Préparation
10 minutes

Cuisson
4 minutes

Ingrédients

8 tranches de pain brioché
2 pommes
2 poires
1 cuillerée à soupe de raisins secs
1 cuillerée à soupe d'orange confite
1 cuillerée à soupe de sucre de canne
50 g de beurre à température ambiante + 50 g de beurre 1/2 sel

- Beurrez légèrement les faces externes du pain.
- Épluchez et coupez en petits cubes les pommes et les poires. Faites-les sauter dans le beurre et le sucre pendant 5 minutes.
- Garnissez l'intérieur du croque-monsieur avec la préparation.
- Parsemez de raisins et d'orange confite.
- Refermez le croque-monsieur et faites-le cuire selon votre appareil, classique ou électrique, pendant environ 2 minutes de chaque côté.

À déguster accompagné d'une cuillerée à soupe de crème fraîche.

Égouttez bien la compotée de fruits pour ne pas détremper le pain.